DAS WEIHNACHTSVERWECHSLUNGSSPIELCHEN

Das Weihnachtsverwechslungsspielchen

Geschichte von *Tuula Pere*
Illustrationen von *Outi Rautkallio*
Layout von *Peter Stone*
Deutsch übersetzung durch *Stephanie Kersten*

ISBN 978-952-357-373-4 (Hardcover)
ISBN 978-952-357-374-1 (Paperback)
ISBN 978-952-357-375-8 (ePub)
Erste Auflage

Copyright © 2014-2021 Wickwick Ltd

Herausgegeben 2021 durch Wickwick Ltd
Helsinki, Finnland

Christmas Switcheroo, German Translation

Story by *Tuula Pere*
Illustrations by *Outi Rautkallio*
Layout by *Peter Stone*
German translation by *Stephanie Kersten*

ISBN 978-952-357-373-4 (Hardcover)
ISBN 978-952-357-374-1 (Paperback)
ISBN 978-952-357-375-8 (ePub)
First edition

Copyright © 2014-2021 Wickwick Ltd

Published 2021 by Wickwick Ltd
Helsinki, Finland

Originally published in Finland by Wickwick Ltd in 2014
Finnish "Kummat lahjat", ISBN 978-952-5878-13-4 (Hardcover)
English "Christmas Switcheroo", ISBN 978-952-5878-22-6 (Hardcover)

Wickwick books are available at special discounts when purchased in quantity for premiums and promotions as well as fundraising or educational use. Special editions can also be created to specification. For details, contact specialsales@wickwick.fi.

DAS WEIHNACHTS-VERWECHSLUNGSSPIELCHEN

TUULA PERE · OUTI RAUTKALLIO

WickWick
Children's Books from the Heart

Weihnachten waren Feiertage, die die Perkson-Familie unglaublich ernst nahmen. Mit den Vorbereitungen fingen sie schon an, bevor überhaupt der erste Schnee gefallen war. Von allen liebte besonders Mama IHR Weihnachten. Schon im Sommer und Herbst baute sie Pflanzen an, von denen sie die Zweige und getrockneten Beeren als Dekoration nutzen konnte.

„Aus diesen hier werden tolle Weihnachtskränze", sagte Mama und breitete ihre Schätze über den ganzen Esstisch aus.

2

Der Rest der Familie war über die Kränze nicht so begeistert. Oder darüber, dass der Esstisch im Prinzip von Oktober bis Dezember mit Mamas Bastelsachen für die Weihnachtsdekoration überhäuft war.

Die Familie genoss es aber, schon Weihnachtslieder zu hören und Lebkuchen zu essen, bevor alle Blätter von den Bäumen gefallen waren.

3

4

Derweil tüftelte Papa an den elektrische Weihnachtssachen herum. Er hängte die Lichterketten auf, erfand ein Heizgerät für das Futterhäuschen der Vögel und reparierte den batteriebetriebenen Weihnachtszwerg, der Weihnachtslieder sang. Wenn man in die Hände klatschte, fing der Zwerg an, laut zu singen und wackelte dabei ungebärdig.

Jedes Jahr kaufte Papa mehr und mehr Lichterketten. Viele Nächte verbrachte er damit, an ihnen herumzubasteln und die Glühbirnen auszuwechseln.

„Hoffentlich brennen die Sicherungen dieses Jahr nicht durch!" sagte er.

5

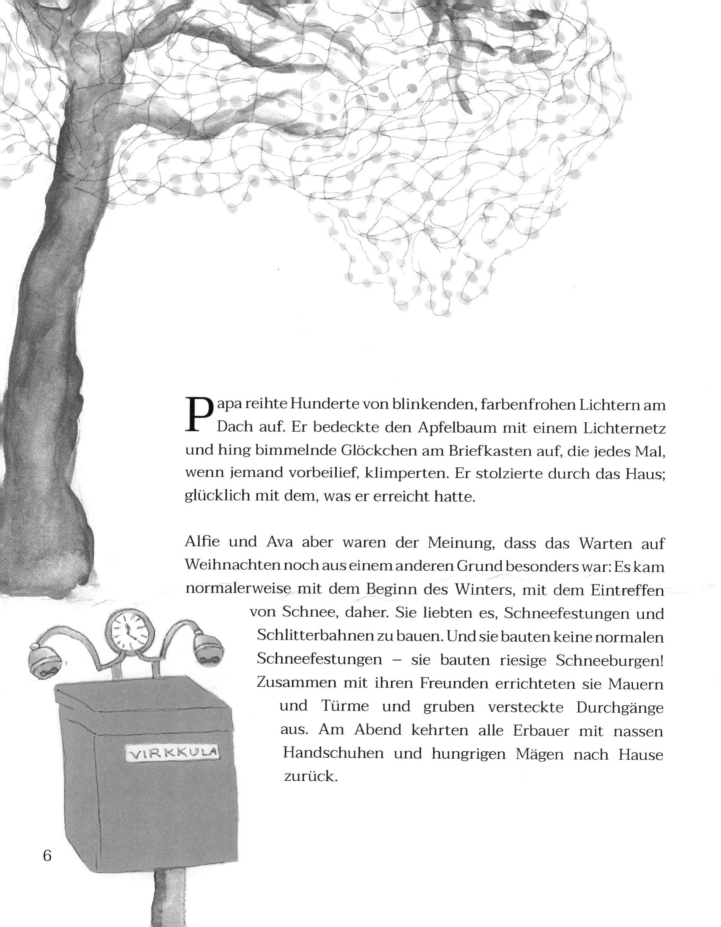

Papa reihte Hunderte von blinkenden, farbenfrohen Lichtern am Dach auf. Er bedeckte den Apfelbaum mit einem Lichternetz und hing bimmelnde Glöckchen am Briefkasten auf, die jedes Mal, wenn jemand vorbeilief, klimperten. Er stolzierte durch das Haus; glücklich mit dem, was er erreicht hatte.

Alfie und Ava aber waren der Meinung, dass das Warten auf Weihnachten noch aus einem anderen Grund besonders war: Es kam normalerweise mit dem Beginn des Winters, mit dem Eintreffen von Schnee, daher. Sie liebten es, Schneefestungen und Schlitterbahnen zu bauen. Und sie bauten keine normalen Schneefestungen – sie bauten riesige Schneeburgen! Zusammen mit ihren Freunden errichteten sie Mauern und Türme und gruben versteckte Durchgänge aus. Am Abend kehrten alle Erbauer mit nassen Handschuhen und hungrigen Mägen nach Hause zurück.

6

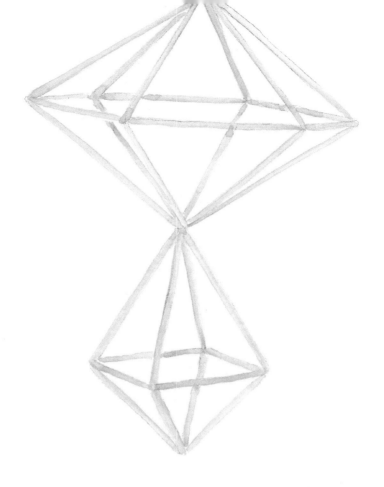

Mama war ein Naturtalent, was Kunst und Basteln betraf. Sie hatte bei mindestens einem Dutzend unterschiedlicher Nähkurse mitgemacht. Sie wusste, wie man häkelte, sogar feine Spitze, wie man steppte und stickte. Dieses Jahr hatte sich Mama dafür entschieden, hübsche Flaschenwärmer zu häkeln. Sie war sich sicher, dass diese allen Verwandten gefallen würden. Der Kaffeetisch war mit Garnkugeln in den verschiedensten Farben gefüllt.

„Ich liebe es, auf die Ankunft des Weihnachtsfestes zu warten", seufzte Mama zufrieden beim Häkeln.

Eines Nachts füllte sich das Haus der Perksons mit dem Duft von Lebkuchen. Die Familie saß zusammen, um eine Liste für die Geschenke, die sie noch kaufen mussten, zu erstellen.

„Uns fehlen noch vier Geschenke", sagte Papa. „Wir brauchen Geschenke für Onkel Eddie, Cousin Scott und Tante Trudy. Und, wir brauchen auch etwas für eure Patentante Mildred."

„Überraschen wir sie doch mit so richtig tollen Geschenken", sagte Ava.

Alfie grinste. „Ja!"

Zuerst besprach die Familie, was sie für Onkel Eddie besorgen konnten. Ihr Onkel war so stark in Vogelbeobachtung interessiert, dass er selbst schon anfing, wie eine Eule auszusehen. Das Muster auf seiner Lieblingsjacke sah genauso aus wie das Federkleid einer Eule.

Mama sagte oft, dass Onkel Eddie so ein großer Schussel war, dass er manchmal sogar seinen eigenen Namen vergaß. Die Kinder aber glaubten dieses nie. Immerhin konnte sich Onkel Eddie an die Namen aller Vögel erinnern – sogar auf Latein!

Onkel Eddie konnte auch alle Vögel erkennen, sogar mit geschlossenen Augen. Er erkannte sie durch ihren Gesang.

„Wir sollten Eddie einen zahmen Vogel besorgen", sagte Alfie.

„Vielleicht einen Papagei?" sagte Ava.

„Was für eine gute Idee", sagte Mama. „Ich wette, dass Eddie ihm beibringt, zu sprechen!"

Die Patentante der Kinder, Mildred, war Mamas beste Freundin. Oder wenigstens sah es den Kindern nach so aus, da Mama ständig mit ihr telefonierte. Die Kinder hatten Fotos von Mama und Mildred gesehen, als sie noch klein waren. Damals sahen sie fast gleich aus. Jetzt aber unterschied sich ihr Aussehen.

Mama sagte häufig, dass Mildred eine „optische Künstlerin" geworden war, während sie selbst jetzt eine „Künstlerin des Lebens" ist. Mildred hatte pechschwarzes Haar mit einem pfeilgeraden Pony, Mamas Haare waren rot mit wilden Locken.

Alles in Midreds Haus war entweder schwarz oder weiß und ordentlich aufgeräumt. Das Haus der Perksons war mit Farben, Krempel und Lärm gefüllt. Mildred sagte manchmal, dass ihr wegen all des Tumultes im Perkson-Haus im Kopf schwindelig wurde.

„Was in aller Welt können wir denn Mildred an diesem Weihnachten schenken?" wunderte sich Mama laut. „Sie möchte keinen Krempel mehr."

„Lass uns ihr noch einen dieser Künstlerkittel mit den farbenfrohen Taschen schenken", schlug Papa vor. „Es ist wenigstens schon fünf Jahre her, dass wir ihr einen geschenkt haben."

13

„Wer ist als nächstes dran?" fragte Alfie

„Scott", antwortete Ava.

Ava und Alfie dachten, dass ihr Cousin
in der letzten Zeit ein bißchen komisch
geworden war. Er wollte keine Schneeburg
mehr bauen oder mit dem Rest der Familie
plaudern. Stattdessen wollte er nur
noch mit seinen Kopfhörern in seinem
Zimmer sitzen.

„Es ist nichts Schlimmes", versicherte Mama Ava und Alfie.
„Er kommt jetzt nur in die Teenagerjahre."

Ava und Alfie verstanden das nicht so richtig.

„Ich möchte niemals so alt werden", behauptete Alfie. „Scott
ist so langweilig geworden."

„Mach dir keine Sorgen. Es geht vorbei", versicherte ihm
Mama.

„Wir sollten Scott ein elektrisches Schlagzeug kaufen", sagte
Papa aufgeregt. „Als ich ein Teenager war, hätte mir so etwas
gefallen."

16

Tante Trudys Geschenk war als Nächstes dran. Sie war schwer zu knacken. Sie hatte eine festgefahrene Meinung über alles, was sich unter der Sonne befand und war nicht schüchtern, diese auch allen mitzuteilen.

„Man kann nichts in deinem Kopf ändern", zischte Papa sie einmal an. „Nichtmal diesen lockigen Pony!"

Glücklicherweise war ihre Plänkelei schnell vorbei. Und letztendlich verstanden sich Papa und Tante Trudy gut. Es gab keine Chance, dass sich ihre Meinung über Kaffee- und Waschmaschinen als beste Erfindung der Welt ändern würde. Also wusste Papa, dass es keine Hoffnung für ihn gab, seine Tante für seine eigenen Erfindungen zu begeistern.

„Ich wette, dass Tante Trudy ein Lockenstab gefallen könnte", sagte Mama. „Damit könnte sie sich ihre Haare ganz schnell frisieren."

Es war an der Zeit, einkaufen zu gehen. Papa koppelte den Anhänger an das Auto.

Mama lachte. „Warum brauchen wir denn den Anhänger?" fragte sie. „Wir müssen doch nur noch vier Geschenke besorgen!"

„Ich habe diesen Morgen eine Anzeige für einen beheizten Carport gesehen. Ich dachte mir, dass es ein nettes Geschenk für die ganze Familie ist", erklärte Papa.

Die Kinder schauten sich an und grinsten. „So typisch für Papa!" dachten sie. Das Familiengeschenk im Jahr davor war eine automatische Bewässerungsanlage für ihre Sauna, die dann bei der ersten Benutzung gleich kaputtgegangen war. Sie mussten alle aus der Sauna flüchten, da die Maschine nicht aufgehört hatte, Wasser auf die Steine zu schütten!

In der Stadt waren viele Leute unterwegs. Es sah so aus, als ob sich jeder zur gleichen Zeit entschieden hatte, die Weihnachtseinkäufe zu erledigen. Der Parkplatz war vollgestellt.

Mit Schweißperlen auf seiner Stirn fuhr Papa herum, um nach einem Parkplatz zu suchen, der groß genug für das Auto und den Anhänger war. Letztendlich fand er einen passenden Platz und die Familie stieg aus und ging zu den Läden. Mama und Papa entschieden sich, zum großen Supermarkt zu gehen, während die Kinder Richtung Fußgängerzone und den Weihnachtsmarkt liefen.

Es gab ein kleines Café in der Fußgängerzone. Dort wurde die leckerste heiße Schokolade der Welt verkauft. Die Kinder nippten glücklich an ihrem Schokogetränk und bewunderten dabei die Süßigkeiten in einer Glasvitrine.

„Nachdem du Dir den Schokomilchbart abgewischt hast, können wir ja in die Bibliothek gehen", schlug Ava Alfie vor.

23

Die Bibliothek war der Lieblingsplatz der Kinder in der Stadt. Sie fanden immer wieder faszinierende Bücher in der Kinderecke.

Diesmal jedoch liehen sie sich keine Bücher aus, da gerade ein Weihnachtsbastelkurs in vollem Gange war. Es war noch keine Minute vergangen, da hatten Alfie und Ava schon ihre eigenen Papiersterne zum Nachhause nehmen gebastelt, um sie an ein Fenster zu kleben.

„Lass uns noch ein bisschen hierbleiben", flüsterte Ava glücklich.

Alfie nickte. „Es ist so ruhig hier. Keiner, der einkauft, und keine Menschenmassen!"

„Wie schade, dass Mama und Papa zu beschäftigt sind, um das hier auch zu genießen", sagte Ava mit einem Seufzen.

J eh näher Weihnachten kam, desto angespannter war die Stimmung im Perkson-Haushalt. Genau drei Bleche mit Lebkuchen waren schon angebrannt und Mamas selbstgezogene Kerzen waren irgendwie komisch gefärbt und verkrümmt.

Mama wurde langsam, aber sicher ärgerlich. „Wie soll ich denn rechtzeitig fertig werden?" nörgelte sie. „Ich muss ja noch alle Geschenke einpacken und an unserer Verwandten schicken."

„Wir können helfen", versprachen die Kinder.

„Während du die Lebkuchenhäuser machst, wickeln wir die Pakete ein", sagte Alfie.

Ava nickte. „Wir werden alles ganz ordenlich einpacken und schreiben die Adressen in ganz schöner Schreibschrift."

Mama sah erleichtert aus. „Vielen Dank, Kinder", sagte sie. „Hier sind die Aufkleber für die Adressen und hier die Geschenke. Seid bitte vorsichtig."

Die Kinder wickelten ein Geschenk nach dem anderen in wunderschönes Geschenkpapier ein. Bald schon fehlten nur noch die Adressaufkleber. Plötzlich stürmte Mama mit einer Schüssel Zuckerglasur in der Hand vorbei. Sie trat aus Versehen auf die Aufkleber und ruinierte sie.

„Oh nein!" weinte Mama. „Eure schönen Aufkleber"!

„Mach dir keine Sorgen, Mama", sagte Ava.

„Wir können die Aufkleber wieder ganz schnell in Ordnung bringen", stimmte Alfie mit ein. „Es wird schon okay sein."

Die Kinder machten sich wieder an die Arbeit, beschrifteten die Aufkleber neu und klebten sie auf die Päckchen. Sie beeilten sich, so dass Mama nicht nochmal verstimmt wurde.

Später schaute sich Papa die Päckchen an. „An Onkel Eddie, Mildred, Scott und Tante Trudy", las er laut vor. Dann verzog sich sein Gesicht zu einem Lächeln. „Ganz toll gemacht. Morgen gehen wir gemeinsam zur Post."

Onkel Eddie hatte den ganzen Morgen damit verbracht, mit einem großen Vogelbuch auf seinem Schoß zu sitzen. Er was so stark in Gedanken versunken, dass ihn das Bimmeln der Türklingel aufspringen ließ.

„Was ist das denn? Was passiert hier? Oh, es ist ja nur die Klingel", murmelte Eddie.

Onkel Eddie hatte keine Schwierigkeiten, stundenlang ruhig stillzusitzen, wenn er Vögel beobachtete. Mit Geschenken aber hatte er gar kein bisschen Geduld!

„Ein flaches Päckchen. Mmhhh...Das sieht ja vielversprechend aus, vielleicht ein neues Vogelbuch", grübelte er. Er riss das letzte Stück Papier ab. „Was zum Teufel?"

Es war ein Künstlerkittel – mit mindestens einem Dutzend verschiedenfarbiger Taschen.

Er starrte für einen Moment darauf. Und dann lächelte er langsam. „Der ist ja eigentlich ganz nützlich. Da ist genug Platz für mein Fernglas und alle anderen Sachen. Da muss ich ja nicht mehr nach meinen Schlüsseln und meiner Brille suchen. Was für ein tolles Geschenk!"

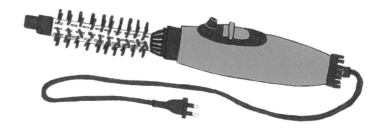

Mildred hatte gerade ein gesundes Frühstück mit Müsli und einem Apfel beendet. Sie räumte sofort die Küche auf und ging dann zu ihrer Zeichenecke. Eine große Leinwand stand einladend da und wartete schon auf ihre Pinselstriche.

Sie hatte die Idee für ein neues Gemälde schon kristallklar vor ihren Augen. Sie schnippte ihren langen Pony aus ihren Augen und schloss sie.

„Ich sehe eine breite, schwarze Linie am Boden und zwei dünnere an der Oberkante. Einen abgeflachten, roten Ball zwischen ihnen."

Dann klopfte es an der Tür. Ein Paket war angekommen. Mildred entschied sich, das längliche Paket direkt zu öffnen. Ihre Arbeit an ihrem Gemälde war sowieso schon unterbrochen worden.

Mildred kniff die Augen beim Betrachten des Geschenks vor ihr zusammen. „Was für eine komische Wahl von der Perkson-Familie", sagte sie und hielt den Lockenstab hoch. „Naja, ich probiere es einfach mal an meinem Pony aus. Vielleicht kann ich ja damit die Haare aus meinen Augen halten, wenn ich male."

Dreißig Minuten später stand Mildred vor dem Spiegel im Flur und bewunderte ihr lockiges Abbild. Sie nickte sich selbst zu, sehr zufrieden mit dem, was sie sah.

Cousin Scott moppte gerade sein Zimmer. Er grunzte, als seine Mutter an die Tür klopfte. Er bedankte sich nicht mal bei ihr für das große Paket und den Umschlag, die vor ihm am Boden aufgetaucht waren.

„Mir ist nicht danach, dieses Geschenk aufzumachen", murmelte er. „Die Perksons schenken mir immer Kinderkram." Er griff nach dem Umschlag. „Ich hoffe mal, dass da Geld drin ist."

Nein, da war kein Geld drin. Anstelle fand er einen Geschenkgutschein für die Tierhandlung: Gutschein für einen Papagei.

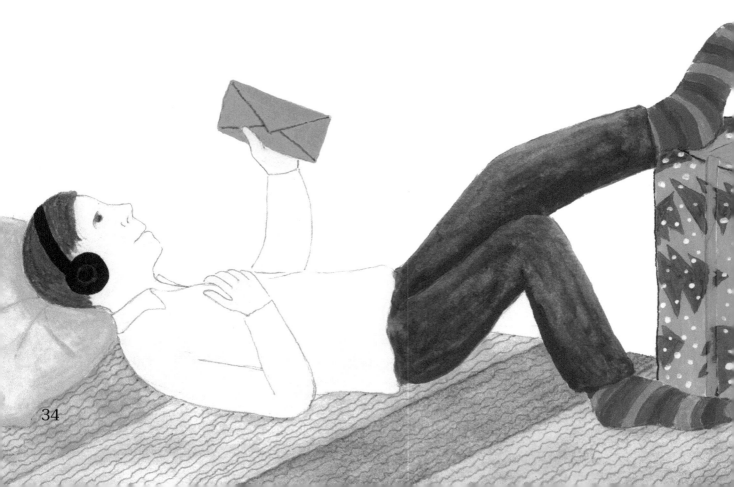

Überrascht schaute Scott auf das große Paket und wickelte es aus. Es war ein großer Vogelkäfig!

„Wohin beeilst du dich denn auf einmal?" rief Scotts Mutter, als er an ihr vorbeistürmte. Aber er hatte keine Zeit zum Antworten. Er war in großer Eile und musste zum Tierladen zu laufen.

Wie cool! Dachte Scott. Mein eigener Papagei. Keiner meiner Freunde hat einen!

Frustriert stand Tante Trudy im Flur neben einer großen Kiste.

„Wie unaufmerksam, so ein großes Geschenk zu schicken", meckerte sie. „Es ist ja so aufwendig, es aufzumachen. Und was soll ich denn mit dem ganzen Karton und der Noppenfolie anstellen?"

Letztendlich war das Geschenk so unerwartet, dass Tante Trudy sprachlos war. Sie griff in die Kiste und holte Stück für Stück ein elektronisches Schlagzeug hervor!

Bald schon stand das Schlagzeug in seinem ganzen Glanz da. Das Einzige, das noch fehlte, war, das Schlagzeug anzuschließen.

„Diese Perksons haben meinen geheimen Traum richtig erraten!" sagte Tante Trudy erstaunt. „Siebzig Jahre lang habe ich mich zu sehr geschämt, jemandem zu sagen, dass ich es lieben würde, Schlagzeug zu spielen."

Tante Trudy setzte die Kopfhörer auf und legte los. Sie spielte den ganzen Tag lang. Am Abend waren ihre – sonst immer verspannten – Schultern endlich locker und die wilden Trommelwirbel hatten ihren ordentlich gelockten Pony verwuschelt.

„Was für ein wunderbares Geschenk", sagte Trudy. „Ich muss die Perksons sofort anrufen und mich bei ihnen bedanken."

Mama legte das Telefon zur Seite. Sie war so rot wie eine reife Tomate.

„Ihr werdet nicht glauben, was passiert ist", sagte sie langsam. „Tante Trudy hat aus Versehen das Schlagzeug bekommen – und ist unglaublich glücklich darüber!"

„Sag bloß nicht, dass Scott den Lockenstab von Tante Trudy bekommen hat!" rief Alfie aus.

Ein Anruf bei Scotts Mutter ließ die nächste Verwechselung auffliegen. Scotts Mutter sagte, dass Scott den ganzen Abend schon in seinem Zimmer saß und mit seinem neuen Papagei sprach!

Mama sah immer noch verärgert aus.

„Es gibt keinen Grund, sich zu sorgen", versicherte ihr Papa. „Trudy und Scott sind über ihre Geschenke begeistert."

„Ich frage mich nur, was Mildred und Eddie über ihre Geschenke sagen werden", murmelte Mama. Sie rieb ihren Kopf. „Ich bekomme Kopfschmerzen!"

Mama floh zur Couch und versteckte sich unter einer Decke. Sie nahm keine Anrufe mehr an, obwohl Mildred sich bei ihr bedanken wollte.

Papa hörte sich Mildreds aufgeregte Beschreibung ihrer neuen, gelockten Frisur an. „Mildred hat sich außerdem entschieden, den Stil ihrer Gemälde zu ändern", sagte er. „Sie sagt, dass ihr nächstes Kunstwerk Wellenlinien beinhalten wird!"

„Aber es fehlt doch noch Onkel Eddie. Ich kann mir nicht vorstellen, dass er sich an einem Künstlerkittel erfreuen kann", jammerte Mama unter der Decke hervor. „Bitte ruf ihn an."

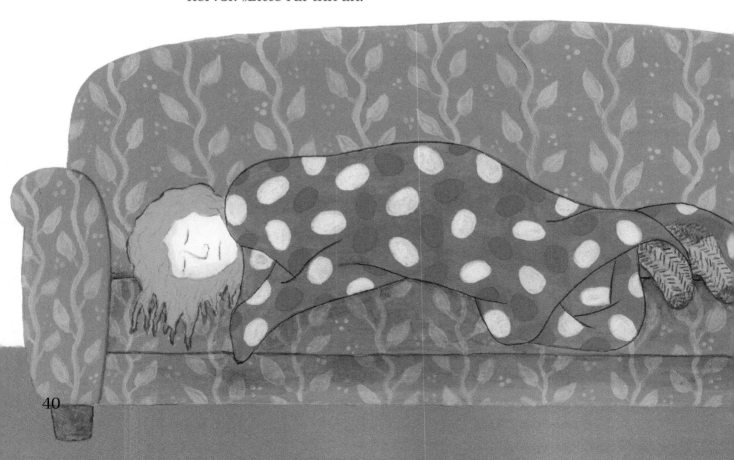

Glücklicherweise lag Mama damit falsch. Onkel Eddie stolzierte glücklich in seinem neuen Kittel mit den vielen Taschen herum. „Ich hätte mir solch einen Kittel schon vor einer langen Zeit besorgen sollen", erzählte er Papa am Telefon. „Damit werde ich meine Sachen nicht mehr verlieren!"

Er klopfte leicht an die rote Tasche, in der er sein Fernglas verstaut hatte. Sobald er aufgelegt hatte, würde er die Vögel am Futterhäuschen beobachten.

D er Tag vor Weihnachten war schwierig. Papas Weihnachtslichter, die draußen hingen, hatten angefangen, zu flickern. Mama lag mit einem feuchten Handtuch auf der Stirn im Bett.

„So habe ich das doch nicht geplant", stöhnte Mama. „Es sollte doch das perfekte Weihnachten sein!"

Die Kinder konnten sehen, wie sich ihre Eltern immer mehr ärgerten. „Es wird Zeit, dass wir uns kümmern, Alfie", sagte Ava.

Alfie nickte. „Los gehts!"

Die Kinder rannten in die Küche und stöberten durch die Schränke und den Kühlschrank. Es gab genug Essen, okay, aber sie wußten ja nicht, wie man ein Weihnachtsessen zubereitet.

„Ich wünschte, dass wir wissen, wie man eine Weihnachspute brät", sagte Alfie. Ava entschied sich, Mildred und Tante Trudy anzurufen. Vielleicht konnte eine von ihnen helfen.

Am Weihnachtsmorgen wachten Alfie und Ava früh auf. Sie waren aufgeregt, um ihre Geschenke zu öffnen, aber dieses sollte etwas später passieren. Zuerst mussten sie sich noch einiger Dinge versichern.

Sie konnten schon ein Klirren von unten hören. Sie schlichen an dem Schlafzimmer der Eltern vorbei und huschten in die Küche. Ihr Plan hatte funktioniert. Ihnen lief beim Geruch von Truthahn das Wasser im Munde zusammen.

Tante Trudy lächelte sie an. „Die Pute ist im Ofen", sagte sie. „Sie wird rechtzeitig zum Abendessen fertig sein."

„Wir haben auch noch Brötchen gebacken", sagte Mildred und zeigte ihnen ein Körbchen.

"Wie können wir euch helfen?" fragte Alfie.

Mildred und Tante Trudy gaben den Kindern einige kurze Anweisungen. Bald schon waren sie damit beschäftigt, Gemüse zu schälen, Silberbesteck zu polieren und den Tisch zu decken.

Immer noch im Nachthemd und auf Zehenspitzen, schlich Mama in die Küche. Sie strahlte, als sie sah, was ihre Helfer alles hingezaubert hatten.

Diesen Abend, nachdem jeder seine Geschenke geöffnet und das leckere Essen genossen hatte, baten die Kinder, dass sich alle vor dem Fenster versammelten. Sie hatten noch eine Weihnachtsüberraschung: Schneelaternen in den unterschiedlichsten Größen erleuchteten die Bäume und Büsche des Gartens.

„Wie hübsch!" sagte Mama.

„Wundervoll!" Papa stimmte ihr zu und umarmte sie alle.

Mama stimmte leise ein Weihnachtslied an und bald schon fielen alle mit ein.

Es macht überhaupt nichts, dass Papas Weihnachtslichter immer noch flickerten. Es was einfach nur ein weiteres perfektes Weihnachtsfest im Haus der Perksons.

Lightning Source UK Ltd.
Milton Keynes UK
UKHW021153090521
383321UK00002B/112

9 789523 573734